Título original: *Une histoire à deux*
Dirección editorial: María Castillo
Coordinación editorial: Teresa Tellechea
Traducción del francés: Teresa Tellechea
© L'école des loisirs, París, 2007
© Ediciones SM, 2009
Impresores, 2 – Urbanización Prado del Espino
28660 Boadilla del Monte (Madrid)
Centro Integral de Atención al Cliente
Tel: 902 12 13 23
Fax: 902 24 12 22
clientes@grupo-sm.com
ISBN: 978-84-675-3008-7
Depósito legal: M-51.412-2008
Impreso en España / *Printed in Spain*
Impresión Digital Da Vinci

Una historia a dos

Claude K. Dubois

Julia está enfadada con su padre.
Se fue de casa aunque Julia no quería.
Pero es así…
Entonces, Julia le dijo:
–No te quiero volver a ver. Nunca más.

Papá tenía muchas ganas de ver a Julia,
pero ella le dijo: –¡*Vete! ¡Te odio!*
Él aguantó las lágrimas y cerró su corazón.
Metió a Julia en una caja porque
Julia en su corazón le dolía demasiado.

Julia también metió a su padre en una caja.
Olvidó que lo quería.
Por su culpa, mamá está muy triste
y Julia quiere a su madre.

La vida continúa.
Papá va a trabajar.
Hace la compra. Pasea.

Julia va al colegio. Juega con sus amigas.
Por las tardes vuelve a casa con Mamá
y ve los dibujos animados antes de acostarse.

Papá sale de la oficina cada vez más tarde.

Julia no consigue hacer sus deberes.

En el autobús que le lleva a casa,
Papá ni siquiera ve a la gente en la calle.

Cuando Julia pone la mesa para ayudar a Mamá,
a menudo pone un plato de más.

Por las noches, Papá ve la televisión.

Julia no tiene ganas de ir a dormir.
Juega mucho tiempo con el gato.

Papá ha decidido pintar su apartamento.
Le fastidia. Sin embargo, antes le gustaba el bricolaje.

Julia intenta hablar con sus juguetes.
Pero ya no le responden.

Papá está triste.
Querría olvidar que echa de menos a Julia.

No quiere pensar en los días felices.
Le duele demasiado.

Julia intenta olvidar que tiene un padre.

El corazón de Papá sigue estando cerrado.

Julia sigue estando furiosa.

Papá hace todo como un autómata.

Julia cree que su muñeca está triste.
Debe consolarla.

Los meses pasan…

Vuelve la primavera.

La vida continúa para Papá.

La vida continúa para Julia.

Y un día…

Papá y Julia se encuentran cara a cara
en la calle.

Se paran.
Se miran, pero no dicen nada.

Sin embargo, en sus corazones, algo ha cambiado.

Papá tiene lágrimas en los ojos.
Julia. Su hija. Tan lejos, tan cerca.

A Julia le cuesta respirar.
Su padre. Tan lejos, tan cerca.

Papá no se puede dormir. Piensa en la risa de Julia,
en sus menudos brazos abrazando su cuello.

Julia tampoco puede dormir.
Tiene la cabeza llena de imágenes de Papá.

Sin que lo sepan, sus dos cajitas
se han vuelto a abrir a la vez.
Papá llama a Julia.

Julia tiene muchas ganas de hablar con él por teléfono.
Papá le dice:
—Voy a buscarte. ¿Quieres?

Van al parque. Los dos.

Hace buen día.